VOL.
KB011879
OSAMU NISHI
악마에 입문했습니다! 이루마 군

& STORY 캐릭터 소개 & 줄거리

스즈키 이루마

지나치게 착해빠진 상냥한 소년. 부탁을 받으면 거절을 못 한다. 위기 회피 능력이 뛰어나다. 인간이라는 사실을 들키지 않고, 악마 학교를 평온하게 다니고 싶다.

아스모데우스 아리스

파괴와 미덕을 관장하는 가계의 악마. 입시 수석인 우등생. 입학식에서 이루마 때문에 체면을 구기고 발끈하지만, 결투로 완패한 후 이루마에게 충성을 맹세한다.

《특기 마술=화염계 주문》

발락 클라라

밝고 활기찬 여자 악마. 항상 야단법석에 조용할 때가 없어서, 주위로부터 괴짜 혹은 희귀 짐승 취급을 당한다. 이루마의 상냥함을 접하고 감동해서, 좋은 친구 중 한 명이 된다.

《가계 마술=한번 본 물건은 뭐든 주머니에서 꺼낼 수 있어!》

CHARACTERS

샤크스 리드

이루마와 한 팀이 된, 도박을 좋아하는 악마. 바치코의 무리한 짓에 두 손 두 발 다 들고, 지금은 로빈 선생님에게 가르침을 받고 있다.

오쵸

수확제에서 오로바스와 함께 행동하고 있는 정체불명의 악마. 오로바스를 부추겨서, 어브노멀 클래스를 습격하게 하는데…?!

오로바스 코코

실기와 필기에서 항상 성적이 2등인 악마. 트라우마를 환각으로 보여주는 가계 능력을 지녔으며, 수확제에서는 그 마술로 어브노멀 클래스를 괴롭히고 있다.

지금까지의 이야기

인간 말종인 부모님에 의해 악마에게 팔려버린 스즈키 이루마는 마계의 악마인 설리번의 손자가 되어 악마 학교, 바비루스에 입학한다. 인간이란 사실을 숨기고 조마조마한 학교생활을 보내면서, 악마 친구가 늘어난 이루마는 그런 생활을 점점 즐기게 된다. 그런 바비루스에서 가장 중요한 것은 수업을 통해 마계에서의 「랭크」를 올리는 것. 1학년 전원이 참가하는 서바이벌 시험 『수확제』에서 좋은 성적을 내서 랭크 승급을 노리는 이루마를 비롯한 어브노멀 클래스 일동. 유명한 악마들의 혹독한 특훈을 견뎌낸 그들은 각자의 실력을 발휘한다!! 그런 어브노멀 클래스를 집요하게 노리며 「학생 사냥」을 하는 오로바스 코코. 정체불명의 악마, 오쵸의 감언이설에 조종당한 그는 자신의 의지가 아닌 습격을 자행하고 있었다. 오로바스가 마술로 만들어낸 환영이 클라라를 노린 순간, 이루마는 간발의 차이로 활을 쏴 그녀를 구원한다. 하지만 강경한 수단을 쓰려는 오로바스를 막을 방법이 없는 둘은 절체절명의 위기에 처한다!! 바로 그때, 이루마와 클라라의 앞에 나타난 건… 불꽃을 몸에 두른 충의의 악마, 아스모데우스 아리스였다!!

CONTENTS

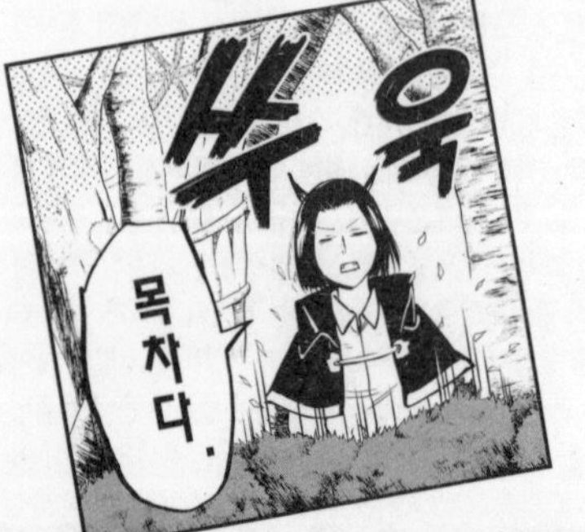

쑤욱
목차다.

제134화 말겨진 마음
아즈…!
늦어서
죄송합니다,
이루마 님!

데~비~!
아스모데우스
아리스!!
실격───!!
어……
반칙……?!
학생을
직접적으로
공격하는 건
반칙 행위…!!
하아──…
하아──…
너는 이제
우승을
바랄 수 없어!!
네놈의
수확제는
여기서
끝난 거다!!
흥…
실수했구나….
아스모데우스…!!

가장 약왕에
가까웠으면서…
어리석기
그지없…군.
콰
앙

커...억
상관없어.
내 야망은
눈곱만큼도 후회하지 않아.
화륵
이루마 님의 창이 되는 것이니까.

탈락하든 말든 상관없어.
저벅…
만약 앞으로 또
이루마 님… 그리고 어브노멀 클래스의 학생을 노린다면
탈락 텐트에서 바로 달려와서
네 목을 이 불길로 태워 버리겠다….
치직…
명심하도록.
…크윽 ….
털썩…

아스모데우스 아리스! 빨리 탈락 텐트로 향하도록!!
네.
덥석
꼬옥
!!
아즈아즈, 가지 마——!!!
꾸욱
꾸욱
그, 그래!

아즈는
우리를
지켜줬을
뿐이잖아.
잘
설명
하면….
저는
제가
해야
할 일을
했을
뿐입
니다….
그러니
제
마음을
이루마 님께
맡기겠습니다.
당신이야말로
그 누구보다
약왕의
왕관이
어울립니다.

게다가 저는 이미 「4」니까요.
무사히 축제가 끝나면
그때야말로 셋이 모여
저희 집에서 축하를 하죠.
…!!
응!!

오오!
약속!
톡
아스모데우스
아리스,
수확제 나흘째
탈락.
부스럭
…….
아즈….

엉엉
엉엉
진~짜
멋있었어~.
아즈아즈~~.
리드?!
아까부터
거기
있었어?!
둥실
둥실
군~!
아까
너희 사이에
끼어들 수가
없었거든~.
클라링~
무사해서
다행이야~
그럼
저희는
이만…
고마워
그래도,
뭐…
이러니
꼭
우승해야
겠는걸.
씨익…

…응!
좋아!
오로바스 한테서 화분을…
되… 찾….
휘익…
휘이잉
사라 졌어!!
질질…
괜찮아요, 오로바스 님….
우승 하는 건
당신 이에요….

마지막에 웃는 건 저희예요.
왜냐 하면
『끝의 화분』은 이미…
본부에 제출했으니까요.
포인트도 빼앗고, 역전 가능성도 막았어요!
끄응…
하지만 …
몸이 이래선 나도 더는 포인트를 벌 수가….
괜찮아요.

부스럭
이 오쵸 만…
믿으 세요.
반짝
반짝
이 이건…!!
제가 몰래 모아둔 희귀 수확물 이에요.
이것만 있으면 우승이 확실해요!!
하지만 이건 오쵸의…!
절레 절레
괜찮아요!!

저는 우승 못 해도 돼요.
훌쩍
오로바스 님의 힘이 될 수만 있다면, 그걸로….
훌쩍
오쵸 ….
문제아들은 절대 우승시킬 수 없어요!!
누군가가 오로바스를 구한 거야.
큰일인걸.

화분이 없으면 『레전드 리프』를 피울 수 없어!
우승을 못 하는 거야!!
…!!
오로바스는 어디 있는 거지….
…마력이 바닥 나서 못 찾아….
감지는 무리야….
이루마도 몸이 엉망진창이고
수확제도 얼마 안 남았어….
이제 역전은….

이제까지 많은 이들이 도와주며
마음을 맡겨 줬으니까….
절망 따위 할 수 없어.
그래도 움직이자.

털썩
지금 바로….
!
그 다리로는 무리야….
하지만 이대로 포기할 수는….
끄응
그건
너무 분해.
쑤욱
맞아.
?!!
누, 누구지?!
부스럭
부스럭
?!
?!
서, 선생님… 일까.

아! 저희는 아직 탈락 아니에요!!
휘익!!
맞아요! 아직 기운 넘쳐요!!
샤아
분해.
우리도
슥...
그렇게 생각했어.
그래서 생각했지.
파지직...
생각하고 생각해서 계획을 짰어.

자신이
우위
라고…
생각하는
녀석
일수록
쉽게
속지.
속으면
거꾸로
속여준다.

마지막에
이기는 건
교활한
놈이야.
와아아!!

수확제 이틀째 시점
재즈 탈락 후
제135화 수확제 종료
미, 미안해. 알로켈….
내가 욱하는 바람에… 탈락을….

…아냐.
이걸로
됐어.
오히려
잘된 거야.
웅성
이…
탈락 텐트에
갈 수 있잖아.
꺄하하
어이이
웅성
어이이
하하하
잠깐만 따위
없어ー
여기서는
숲의 상황을
바로 알 수
있고
탈락하지
않은 자가
들어가면
안 된단
룰은 없어.
…….
아하.
그래.

팀을 짰지만 수확제는 원래 개인전.
탈락한 건 재즈 뿐이고, 알로켈은 아직 탈락하지 않았어.
이걸 활용하는 거야!!
어 음
정보?!
좋아~. 뭐가 알고 싶은데~?
탈락해서 한가해~
탈락 텐트에서 정보를 모아
작전을 짰어.
덤으로 도박

모든 것은 오로바스의
발목을 잡기 위해서!!!
알로켈은
숲으로,
나는 텐트에서
정보 전달.
그 자식의 동향을 살펴보니
빼앗은 화분을 포인트로 바꾸려 했지.

그 순간에
차지한다.
그게 가장
열 받잖아?
좋았어.
그렇게 해서
손에 넣은……

스윽
『끝의 화분』.
이걸…
꿀꺽
휘 익~
증정.
그래도 괜찮아?!
어 어!!
문제 없어.

수확제도 곧 끝나니…
내가 가지고 있어 봤자야.
게다가… 둘이 함께…
이기지 못하면
꾸욱…
의미가 없어.
일념통천.
어브노멀 클래스의 우승을 부탁하겠어.

※일념통천(一念通天) : 한결같은 마음으로 노력하면 하늘도 감동한다

응!!
……
어이 울지 마.
턱
안 울어요!!
혹시나 해서 말해두는데 앞으로는 이러지 마라!
왜요! 규칙위반은 아니잖아요!
동신기 돌려줘~
꾸욱!
순간적인 기지와 집념….
설마 탈락 텐트를 승부에 활용할 줄이야….
정말 지기 싫어하는… 좋은 팀인걸.

이번 수확제에서
가장 큰 성장과
열의를 보여준 건
우오오오 우오오오
틀림없이
어브노멀
클래스겠지.
와아아!!
누가
약왕이 되어도
이상하지
않아—….
자아,
드디어
각자의
수확제가
끝난다….

이제 식재료는 없어──.
1.2.3층탑──
아니, 잘 보라고~!
포기하지 마!!
그것보다
흰옷 녀석을 보내줘도 괜찮은 거야?
음?
녀석은 자기 야망을 이루러 간 것이다.
말릴 이유가 없지!
설령 혼자서라도!
이 몸은 전진할 뿐.
그리고!!

반드시!
마왕…
이.
털—썩!
우왓.
데굴…
…….
잠들
었어.
굴—
드르렁—
사브노크 사브로
최종 포인트
45500P
체력이
바닥난
건가….
바보

무너지지
않아요!!
안 됩니다!
적의 성은
여전히
건재하고!!
동료들도
차례차례 쓰러지고
있습니다….
더는
방법이….
마수들의
공물만으로 번
포인트만으로
우승은 무리야….
저 성을
함락시키지
못했으니,
우리가
우승하는 건….
이렇게
되면…!!

두웅
케로리 여왕님!! 저희를 포인트로 삼아 주십시오!!
저희를 식재료가 아닌 동료로 맞이해준 당신께 보답하고 싶습니다…!!
!
그러므로 여왕님의 우승만이! 저희가 바라는 바!
너희들….
…그래.
펄럭
!
…하지만
안 돼.
슥
!

내가 아무리 빛나더라도
그걸 봐줄 팬이 없으면 의미 없잖아?
여왕님!
수고했어...!
우워—
아우—
크로켈 케로리 36800P
카임 카무이 22500P
익스 엘리자베타 20700P

크엉
그르르르
짐승이 물러 난다….
하아…
하아…
그렇다는 건….
오오오오오오
막아 냈어~!!!
우오오오오오.
다들~ 밥 먹어~.
와아
밥이다!!!
꺄아
꺄아

정말 느긋한 애들이네.
하아~
이것도 승리의 함성 이올시다!
우리도 함께 축하를….
어.
두--둥
뭐야?!
에헤헤
저기…

남은 포인트는 전부…
성주님들에게 줄게!!
미리 그러기로 정해뒀어!
뭐어?!
하지만 그래선 너희의 포인트가….
절레 절레
괜찮아.
원래 우리는 탈락 직전 이었으니까
그래~
최종일까지 남을 수 있을 거라곤 생각도 못 했어!

두 사람이 기뻐해 줬으면 해!
이제 우린 가족이나 다름없잖아!
그러니 받아줘! 우리의 감사 표시야.
우리를 지켜줘서…
고마워!

울컥
……
정말
별난 애들이라니깐….
남은 식재료는~ 전골~
이게 무슨 맛이야?
아가레스 피케로 32300P
가프 고에몽 32300P
드디어
라스트 야….

도옥....
자아.
『레전드 리프』를 피우자!!
두둥!

자아!!
와아~
수확제도 곧 종료돼요!!
최종적인 획득 포인트는
축제 종료시에 소지한 수확물까지 포함돼요!
제136화 레전드 리프
종료 시간 이후의 수확은 금지!!
발람 선생님이 체크할 거야! 자아~~!
때앵—

다들
두
두
마지막 수확물을 손에 넣었을까요 ~~?
웅
일단 합체시켜 봤는데….
오~
톡
톡
뭔가… 다른 느낌이 들어.
좀 기괴하네….
제136화 레전드 리프

이 두 개를 합치면 『레전드 리프』가 피어날 줄 알았는데….
으~음…
어떻게 해야 싹이 틀까?
그래!
생각해봐!
수확제의 책임자!
이 숲을 만든 건 수지 선생님이잖아!
그리고 이 축제는 1학년의 총결산이지….
싹
아아
배운 것을 전부 활용하는 행사!
그걸 고려해서 생각해볼 때…!

수지 선생님의 첫 수업!!
후후
마술 수업이에요~.
특수한 묘목을 향해 손을 뻗고
『크왕크왕』
화
꽃이 피었어요~.
슈르륵
펑!
콰득
아!!
…답은 처음부터
우리 안에 있었어….

피어 나라!!
『레전드 리프』!!
우우우우우
크왕크왕!!!
파아아아앗

조ーー용...
...훗—
버러억
아닌가 봐!!
뭐?! 아, 응. 아닌가 보네!!

그럼 대체 뭐냐고오오.
곧 수확제가 끝나는데 에에!!
우에에에엥
가사에도 힌트가 없어….
어떻게 하…
지.
쪼륵ㅡ
잠깐 나프라 씨!
우와앗
뭐 하는 ㅡ….
번쩍

번쩍어어어억
뭐야!
씨앗이… 빛을….
교왕
교왕
어?!
얏
지금?!
아
아마도….
지금 하라는 거야?!
그래!
번쩍억
하나, 둘, 셋~!!
크왕 크왕!!

쫘
아아악
오오오
오?
슈우웅
쫘아아아악?
오오오?
슈우웅…?
끄응~.

으~응?
아깝다!!
왠지 아까워!!
큭
마력이 부족한 걸까?!
끄으으응
이제 바닥났잖아….
!
그럼…
이프리트
마신 모드로….

무리야~~~….
헉
아리 씨.
끄으응
이제 한계!! 마력이 없어….
더 쓰면 내가 사라질 거야….
절레절레
어엇?!
뭐어?!
끄으으응
가까이에 어~~엄청 많은 양의 마력을 지닌 악마가 있어서….
한계…
으윽~
빌릴 수 있다면 모르겠지만….

그, 그렇게
편하게는
할 수….
이루마찌~.
괜찮아?
오오오오오오
쿠
Oh….
있네….

클라라는 수확제 동안 유쾌하게
마수들과 놀아대며
대량의 마력을 흡수했다.
※본인은 모른다.
이루 도령…!!
오오오
클라링의 손을 잡아!!
…크,
클라라!

힘을…
빌려줘!!
응!!
간다! 하나, 둘, 셋!
끼야
크왕 크왕!!!

!!
우왓

너구나.

…루마.
이루마!!
리, 리드?!
쿨룩
쿨럭
이 검은 연기는 뭐야…….
아니, 그것보다…!!
휙
의
『레전드 리프』는?!

빼꼼ㅡ...
?!!

6666
띠리리리링
타임 업!!
수확제 종료~!!
어어어어어
어어어어어?

수확제 전체 일정 종료──!!
전원 출발 지점으로 집합~~!!
제137화 우승자
Pt 집계중
식재료는 이쪽으로 제출해~~.
검사
수확물은 여기
웅성
웅성
어이! 재들은… 어브노멀 클래스야!!!
술렁
와아~~!! 박력이 엄청난데….

둥…
아스모데우스 아리스 탈락
알로켈 슈나이더 합계 12800수확P
익스 엘리자베타 합계 20700수확P
안드로 M 재즈 탈락
사브노크 사브로 합계 45500수확P
……
그 둘은, 오려나.
훗…
당연 하지.
그 어떤 위기에서도 예상을 뛰어넘었잖아.
그분은 반드시 우리의 기대에 부응하기 위해 『레전드 리프』를 수확해서….

두
가프 고에몽
합계 32300수확P
아가레스 피케로
합계 32300수확P
크로켈 케로리
합계 36800수확P
카임 카무이
합계 22500수확P
돌아올 거야…!!
저벅…
이루마& 리드야!!
오 오오
뭔가 들고 있어! 설마…!
저벅
저게 10만 포인트 라는…
레전드 리프!!

저벅…
두--둥…
상상한 것과 달라….

…일단 그럴듯한 느낌으로 멋지게 등장했지만….
역시 못 속일 것 같네.
다들 술렁거리고 있어.
이걸 제출할 수밖에…….
앗──.
비켜, 비켜──!!!
휘익─!!
자, 자료로 본 것과 똑같아…!!
어버버버버버버
이 멍청한 생김새와 짜증 나는 얼굴…. 틀림없어!!

진짜! 레전드 리프 으으으!!
뭐어어어어어?!
10만P 획득이다 아아아!
덥
써어억
오오오오오오.
이, 이게 진짜라면 ……?
응!!

만세-!!
대단해 대단해-
마…만져도…
설마 진짜를 보게 될 줄이야~~.
사상 첫 쾌거야~!!
포인트 배분은 어떻게 할까?
네?! 으음…
넵!
저희는 포인트 필요 없어요!!
네
둘이 우승했으면 좋겠거든!
나, 마지막에 뿌앗~ 하기만 했잖아!
골~ 씨도 같은 생각이야 아마도!!
고-
괘, 괜찮아?!
좋아.
그럼, 결정!!

이루마&
리드,
둘에게
5만
포인트
증정!!
오오오오오오
레전드
리프
획득으로…
우승…
이라고

말하고 싶지만 말이야.
아깝게 됐네. 거의 우승할 뻔 했는데 말이야.
?!
그만 없었다면 말이지.
두
둥…
오로바스 코코
58000P
오마아 아아안?!
대단해 ~!!
전부 희귀 식재료네 ~!!

자아! 집계 완료!!
드르르르륵
순위는 ~~… 확정!!
우승은… 오로바스 코코——!!

오오오오오오
오로 바스?!
진짜?!
2위의 사나이가?!
와아아아
아아아
1위… 1위야.
꿈에서 본… 우승.

하지만 왜
이렇게 석연치 않은 거지?
분명 정정당당하게
이겼…는데….
정말?
바짝
뭔가 이상해…. 이게 내가 원했던 감정일까.
이렇게 마음에 응어리가 졌는데?
이대로 괜찮은 걸까.
정말….
내가 약왕이 되어도….

와아아아아
궁술의 성과를 발휘했고
피!
레전드 리프도 피웠어…. 하지만
처음에는 스승님께 칭찬받고 싶어서…
나 자신이 한심하다는 건
이런 느낌이구나…
꽈악…
우승… 하고 싶었어!!

이의 있어요~.

…어.
아니~ 곰곰이 생각해보니… 역시 잘못됐어요.
계산 말이에요.
계산?
음~
레전드 리프를 반씩 나눠서 5만.
그런데 하나 잊어버리신 게 있지 않나요? 왜…

그 『화분』도 단독으로
2만 포인트
라면서요?
…….
앗.
웅성
2만 포인트!!
웅성
앗.
웅성
저 화분!!
그래! 방송 했었잖아…!!

으~음
시, 실례 했습니다!
꼬물 꼬물 꼬물 꼬물
레전드 리프가 수확된 건 처음이라…
그만 10만 포인트로 쳐서….
웅성
2만을 나눠서
1만 포인트씩 배분,
…웅성
그렇게
되면….

6만
포인트로
자안
와
스·코코

짜
이루마&리드
역전
우승———!!!

3위…
이루
샤크스
오로바
사브
와아아아아
우승 못 했어 …….
2위…
도 아냐…
휴….

이기지 못했어.
…하지만 개운해.
왜 내가 어브노멀 클래스에게 집착한 건지 알겠어.
항상 2위인 나는…
언제나 가장 주목받는 그들이 부럽고 질투 났어.
하지만 그 이상으로…

그들을
존경한 거야.
저 우수하고
엉망진창인 악마들을

와아아아아아!
저벅
이번 에는…
정말 미안했다.
제138화 꽃을 피우는 조건

뭐?
…나는
승리에 집착한 나머지 기억이 혼란해질 정도로 정신이 나가서…
해선 안 되는 짓을… 도리에 벗어나는 짓을 했어….
정말 미안하다.
……
괜찮아.
그야
그만큼 진지했고 전력을 다한 거잖아?
우리도 전력을 다해 싸웠고.
맞아맞아
딱히 룰을 어긴 것도 아닌걸~.

진짜 무시무시 했다니깐….
환각 마술, 대단했어.
복수는 재지랑 애들이 해줬고 말이지~.
얏…
와아!!
어~이 오로바스이 ~~.
3위라니, 대단해~!!
!
어!!
그래?!
아, 딱히 2위에 집착하는 건 아닌데….
아깝네 ~~.
2위를 놓쳤잖아.
유감인걸
손에 땀을 쥐었어~.

뭐야——! 그냥 대단한 녀석인 거네!!
무서워해서 미안해!
같이 뒤풀이하자! 응?!
엇.
아, 그래…!
2번 신앙 같은 소리를 한 건 누구야
오로바스 덩치 크네~
웅성 웅성
어이~ 악왕은 우리라고~
이루마.

아메리 씨!
어.
으, 음.
내 예상을
또 뒤집
다니…
대단한걸.
정말 멋졌… 으음!! 대단했다!
…그리고, 저기~.
혹시 나한테 넘겨줄 게 있지는….
?
음.
쭈
우
욱

음.
수고했다,
나프라.
나프….
아는 사이?
어?
그래.
이루마는
몰랐나
보구나.
앰프시
나프라.
내가 새롭게
스카우트한
학생회 1학년
임원이다.
펄
럭

…하
학생회??!
후앗
나프라 씨는 이번에 운영 측으로서!
수확제에 참가했어!
참가자들에겐 비밀인 시크릿 캐릭터야!
어~~~?!
교오~~~옹
그렇다!! 나프라야말로 레전드 리프 획득 조건 중 하나!!
나프라를 구해서 『무지개 물뿌리개』를 입수 및 사용해야만 리프를 피울 수 있는 것이다!!

으~음
정말 성가시고… 질 나쁜 조건 이라니깐~.
그건 그래…
전혀 눈치채지 못했어…!
학교가 정한 비밀 규칙이야. 매년 한 명이 도와주지♡
임무완료~
아
수고 많으셨어요.

어라.
우와 아아앗.
어어어어
설명을…
시작하죠.
리프가! 말했어엇??!
네. 그럼 우승자는 이쪽으로 오세요.
가, 가볍잖아!!
레전드인데!!

재미…
저는 완전 재미로 만들어 졌거든요….
아니, 솔직히 아무도 수확 못 할 거라 생각해서,
나프라 구조
씨앗시련
재미있는 이야기
노래해독
그것도 그럴 게 꽃을 피우는 조건이….
화분시련
GAME
방대한 마력으로 크왕크왕!!
합체!!
완성!!
…이니까….
싸늘…

하하.
찰싹
웃어?!
용케 피워냈구나
우리…
하지만
이 조건의 순서에 담긴 마음은 심플해요.
괜찮아요?
눈앞의 이익만 쫓는 게 아니라 타인을 배려하고
불합리를 즐기며
터
자신의 야심에 따라 질리지 않고 계속 도전할 뿐만 아니라, 절대 포기하지 않는… 그런

가장 악마답지 않은 악마를 만나고 싶다.
너구나.
앗. 저기!
펑
그건….
자아.
설명도 끝났으니

저도
마무리를 하도록 할까요.
둥실!
떠올랐어!!
마무리?!
불루욱…
둥시이일~
!!
우왓

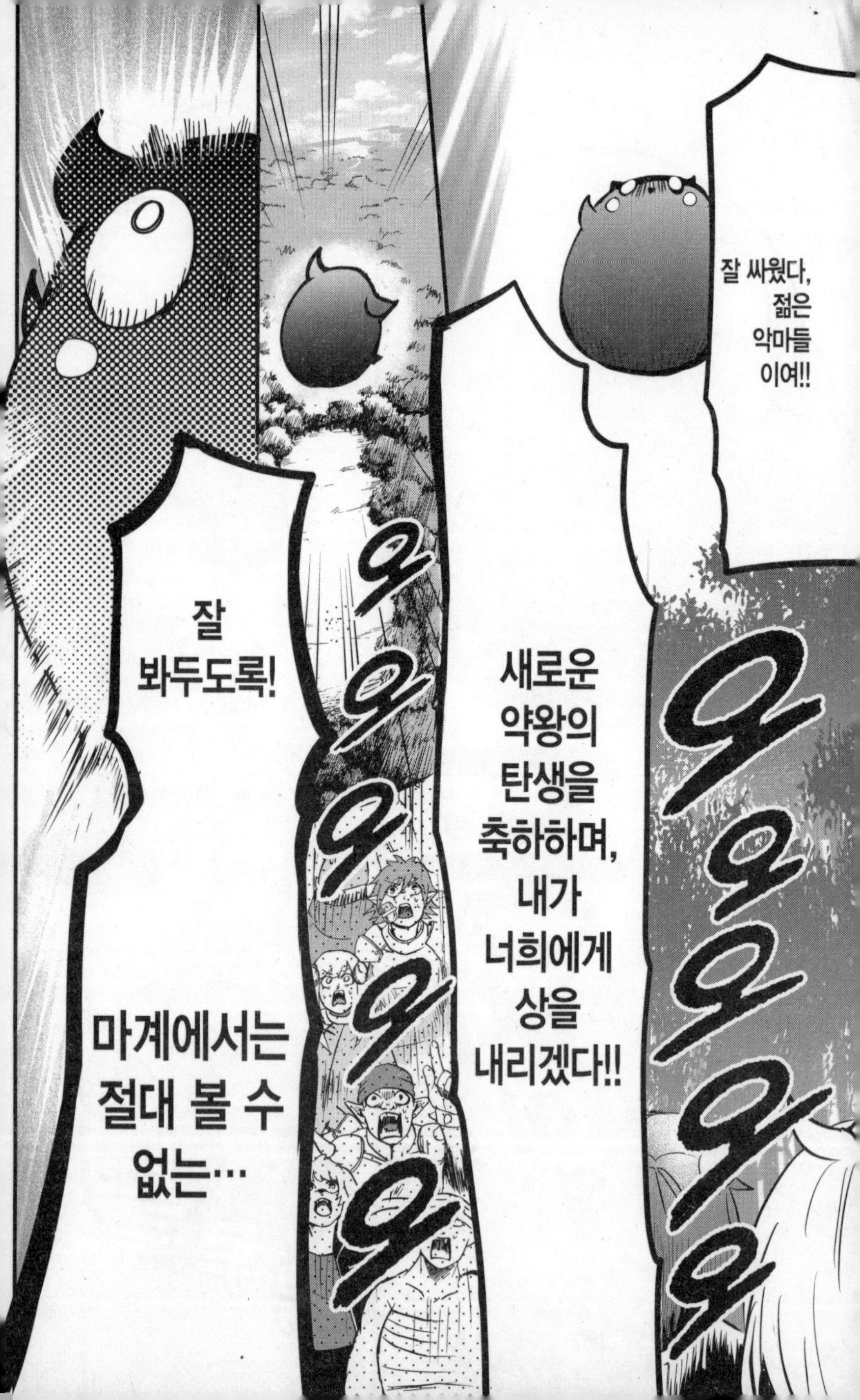
잘 싸웠다, 젊은 악마들이여!!
오오오오오오
새로운 약왕의 탄생을 축하하며, 내가 너희에게 상을 내리겠다!!
오오오오오
잘 봐두도록!
마계에서는 절대 볼 수 없는…

이 꽃을!!
퍼어어어엉
!!
윽.
포, 폭발….

사르랑
오오오

오오오!

오오오 오오오
엄청 크다아!
예뻐~~!!

정말…
포근하고
하늘
거리는
이건…….

무지… 익숙한데.
벚꽃이야…
두두두두두
이루마~~!!
우승 축하한다~~!!
하, 할아버지.
꼬옥
흑
흑
보고 있었단다~. 이 할아버지, 정말 감동했어!!

…이게 『레전드 리프』.
「수확제」를 만든 분은…
이 꽃을 너희에게 보여주고 싶었던 걸지도 몰라….
…하지만 이 꽃은 …….
음! 최고의 시추에이션인걸!
툭!
아름다운 꽃과 싸움을 마친 아름다운 학생들!
자아! 거기 둘! 나란히 서렴!!

따악
끄어엉
이대로 표창식!!
랭크 발표를 하자!!
와아아아아

그럼
지금부터
수확제 표창식을 거행하겠습니다!!
오오오오오
제139화 칭찬

우승자.
이루마,
샤크스
리드.
앞으로
나오도록!!

이번
수확제
에서
꺾이지 않는
정신력과
유례없는
행동력으로
멋지게
10만 포인트를
수확했고
『레전드
리프』를
피운 것은
위대한
공적이다.
이 점을
가미해…
이루마와
리드,
두 학생을…

랭크
다레스
「4」로
아
대단해!
아아
4야!!
우와아
약왕——!!

승급
시키도록
하겠다!!

그럼 이어서
내 마일크...
성적 상위자의 랭크 발표로 넘어가겠다.
오오오
우선 제3위 오로바스 코코.
「3」으로 승급.
너한테는 나중에 물어볼 게 있다.
알았지?
!
네.

대단해— 오로바스 3이잖아!
다음은 3의 남자인가…
그건 싫어
이어서
아마 잠들어 있어서 못 듣겠지만….
제4위.
사브노크 사브로.
드르렁—
쿨—
「2」에서 「3」으로 승급.
와아아아앗
참고로
아스모데우스는 탈락이라 승급은 없다.
「5」로 올라가고도 남을 실력이지만….
뭐, 본인은 만족하는 것 같군.
활짜악
이루마 님과 같아!
같은 랭크!!

「1」에서
5위,
진흙탕
형제.
1이
아냐?!
이건 1이
가장
좋은게
아냐ー
「3」으로
승급!
그럼
다음은
포인트를
포함해
수확제에서의
행동 및 공적을
고려해 평가한
학생을
발표하겠어!
웅성
우선
아가레스
피케로,
가프
고에몽!

수확제 동안 견고한 거점을 만들었고, 다른 학생도 구조했지.
응
응
그들의 활약 덕분에 이번 수확제는 역대 최저 탈락자 수를 기록했어.
이 점을 높이 사
이 둘을
「3」으로 승급한다!!
와-아
만세 만세
와아아
이어서 그 대항 세력….

마수를 사역해 왕국을 만든다는 전대미문의 행동!
그 카리스마와 통솔력에
놀라움을 금치 못했어요!
그에 따라
크로켈 케로리, 카임 카무이를
『3』으로 승급!
케어어어엉
숲에서 포효가…!!
오오오오오오
그들과 함께 싸우며 실력을 충분히 발휘한 익스 엘리자베타는
「2」로 승급!!
어머
언니~!!

랭크 승급자는 ……
총 11명!!
큰 활약을 선보인
악마들에게 갈채를――!!
와아아 아아아

푸햣!!
푸하! 푸하햣!!
NO승급
탈락

웅성 웅성
어라~.
로빈 선생님은
어디 간 거야~?!
제자가
우승했는데
말이죠~!!
바치코
스승님도….
타
약
와라~악
영──차!!
우왓.

꽈아아아악
스
스승… 스승님….
이루마~~.
너~~ 이 자식~.
어~이.
첫날엔 대체 뭘 한 거야! 포인트가 될 식재료를 다 먹어버리면 어떡해~!
앗.
생각 좀 하랬지?! 내 조언을 전부 무시하고 말이야!!
으음.
아니
전부 무시한 건….
진짜 너는

멍청한 제자야.
잘했어,

이루마.

네!!

스즈키
이루마,
14세.
수확제 우승.
이루마! 왕관은 어쨌어?!
아, 리드가 가져갔어요…
되찾아와!!
아, 네!
랭크 「4」.

1학년은
강당에
모였다.
약 나흘간의
수확제를
끝내고…
1학년은
이쪽
자아.
다들!!
뒤풀이다!!
우우우우
제140화 귀가

뒤풀이는 지위 고하를 떠나 즐긴다. 거기서는 각자가 교류하며
그럼 뒷일은 맡기겠다
네!!
웅성
웅성
?
?!
서로의 건투를 칭송하고 치하한다.
시끌
시끌

옮겨라, 옮겨!
와아아아
축제다——!!
오오?
엄청 붐비네.
저기 좀 봐!!
웅성 웅성
시끌 시끌
웅성 시끌
약왕 이야!
웅성
웅성...
오오! 저들이 약왕 이루마& 리드!!

샤라라~
두-둥
4명
있어…
누가
약왕이지…?

자, 잠깐만 이루마!!
저기… 이 포진은 대체 뭐야?!
왜 4명?!
아니… 그게….
사투를 벌인 수확제…. 그 안에서
자신이 있을 곳을 재확인한 결과…….
뭔가… 엄청…
떨어지고 싶지가 않아서…!!
쓸쓸한 거냐고.
꼬옥——
악주기가 끝난 직후와 정반대네~

우쭐~
약왕
이루마 님을
알현하고 싶다면
우리를
통과하도록!!
차례를
기다
려라~!!
여기는
여기대로
신났네….
일단 나도
약왕인데….
뭐?
아니
왜 화를
내고
그래.
뭐
위엄이
없네~.
턱
억
머리는 또
왜 그래?
?!
진흙탕
형제와는
이야기
끝냈어?
그게~
이야기를
나누긴
했는데….
하지마~

너희가 진짜냐!!
우리 스승은 최고지?!
저기, 무슨 소릴 하는 건지 모르겠는데요.
말이 하나도 안 통하더라고.
으~음
어째서….
음
이 몸도 또 찾아 왔었느니라.
그 형제
커억
사브노크.

즉 이러쿵~저러쿵~ 그렇게 되니 어쩌고 저쩌고
설교가
길다
그대로 중사를 찾으러 가더구나.
이 몸도 그 틈을 이용해 발람 스승을 따돌렸지!
그, 그랬구나.
참고로
얘도 주워 왔지.
두리번
두리번
어라?!
여왕님?!
쭉 따라다니는구나
왜 그래?!
잠깐만, 그렇게 큰 소리로….
여왕님~~~.
흠칫

여왕님!!
나도 입국하고 싶어요!
여왕님!
『여왕』이라고 부르지 마!!
확실히 나라는 만들었지만!!
아아아아아
여왕님~
지금 생각해보니 너무 부끄러워 어어어어!!!
앗, 정신이 돌아 왔네.
지금은 누님이 더 여왕 같아.
어머 어머
웅성웅성
우와! 저거, 뭐야?!
여왕님~
앗.
크로켈 이구나!
불평 해줘야 겠어
겸사겸사 이루마 공 일행과도 대화하고 오겠소이다~.
네에-

벌컥!
아~
찰랑…
저 자식들은 소란을 안 피우면 직성이 안 풀리는 건가….
시끌
기운이 넘치네.
야 사블로군 있네
시끌
그런데 『조용』은 안 하는 거야?
흥.
어중간하게 어울리는 게 아니라
각자가 전력을 다하며 수행의 성과를 보여줬지.
와아악!!
끄지직

합격점 이다….
그러니 약간 떠드는 것 정도는 허락해주는 거지.
엄격 하네.
본인들에게 말해주면 좋을 텐데….
흠
우쭐대기나 하겠지.
게다가
설교할 점도 아직 많거든.
나중에 반성회와 대량의 과제를——….

퍼엉!
오오오~.
나타
났어~.
폭신에고
선생님~!!

이루마야!!
히익
죄, 죄송해요!!
하지만 다들 보고 싶다고 해서…!!
거절 못 하고!!
거절을 좀 해라, 멍청아!!
와하하핳하
오~ 오!!
아하하하
어브노멀 클래스!
즐거워 보여~
또 떠들고 있네.
하하하
시끌
시끌
역시…

이루마의 주위는 항상 시끌벅적해.
쓸쓸해지면 메시지 보내줘!
응.
언제든 전화 하십시오!
응!
또 봐~
내일 뵙겠습니다ー!!

하아~
즐거웠어…!
다른 애들과 실컷 이야기 나눴어.
왠지 마지막에는
평소대로였지만….
……평소.
평소대로….
스윽…

이런 곳에 서 있으면 감기 걸릴 겁니다.
움찔
히익!!
뒤풀이는 즐거우셨나요?
네!!
엄청요!
그거 다행이군요. 저희도 준비를….
두두두두두두
이루마~♥
후훗~!!
기다렸단다~~!!
아~
영차~

자아
집에서도 우승 축하 파티~ 하자~~!
요리도 엄청 준비했단다!
장신은 할아버지가 했어~. 엄청 멋지단다~.
그리고 ~~.
어험!
설리번 님.
와~~아
얏
맞다.
할 이야기가 잔뜩 있지만
우선 이 말을 해야겠지.
수확제.
슥...
이 며칠 동안… 수고 많았다.

어서 오렴.

이루마.

……으,
응!
다녀왔
습니다!!

제141화 친구에게 할 말

수확제 뒤풀이 연회
초대장
딩도—옹!
어서 오십시오!
기다리고 있었습니다!
시
실례하겠습니다!
자아!
안으로 드시죠!
완벽하게 준비해 뒀습니다!

기대되네! 우리도 이런저런 선물을 챙겨왔어!
일루마낭의 선물!!
안 그래? 클라라….
고오오오오
두둥
쉬익
준~~비
돌격!!!
와
!!

짜잔!!
오오—
하늘하늘 방!!
두둥!
이야~~!!
반짝반짝 방!!
휘——잉!!
어버 버버버
진지확보완료!
in 안뜰
이루마찌도 놀자~!
위 등반!!
위험해!
아즈도 화낼 거야.
아뇨, 이루마 님….
저는 이 정도로 화내지 않습니다.
흑…
어
왜냐하면….

우뚝
저는 이루마 님과 같은 「4」니까요!
후하하하
날뛰고 싶으면 얼마든지 날뛰어라!
「3」인 네가 무슨 짓을 하든 아무 느낌도 없다!
이! 이루마 님과 같은 랭크인 나한테는 말이지!!
어버버버버
내 고통을 똑똑히 맛보도록!
3!
평소
끄으으응
클라라는 「3」이라도….

이걸로!!
이루마찌, 배지 내놔! 「3」이라고 쓸래!
하지 마!!
어
바보는 내버려 두고 차 한잔하시죠.
흥 흥
나도 친하거든?!
나도
쪼만한 이루마찌와 실컷 놀았단 말이야!
와—
쪼만한 이루마 님?!
와—아
잠깐
벌럭
쪼만한 이루마 님이 무슨 소리냐?!
벌럭
쨍그—랑
안 가르쳐줄 거야~!
쿠—웅
이게
아얏…
여러분, 차가….
와아….

Alice

삐용
삐
발락!!
어이, 내 위에만 올라타지 마라!!
후후후
어부바 전법~~.
아즈아즈, 이루마찌만 너무 지켜줘~.
이루마찌, 한 걸음도 안 움직였잖아.
삐용
삐용
삐용
삐용
삐ー
하하하하
아…. 나, 화장실 좀….
네! 알았습….
야
KO!!
끄아~.
하아~
즐겁네…. 아즈, 클라라와 놀고….
실컷 이야기 하니까….
저 둘은… 친구야….
우뚝….

하지만…
나는 아직
둘에게…

말하지 않은 게 있었어….
마계에서 살아가기로 결심했잖아.
둘은 내 소중한 친구야! 그러니까…
말해야 해….
하지만
만약
두둥
거절 당하면
그보다 더한
악마의…
본능에 따라….

짜
안♥
뒤쪽의 소악마는 누구~게?
아무… 웃.
웅, 아무야~! 아리스의 엄마란다.
우웁
정말! 아리스는 참 너무 하다니깐!
들어줘
또 나만 따돌렸어~.
들어줘
어엇.
꼬옥~

어머
왠지 아리스가 이루마와 친구들을 집에 부른 느낌이 들어서 바로 날아왔지♥
띠링—!!
금방 갈게~
아무님—?!
휘잉—!
우훗—
에스퍼
여자의 감…!!
그런데
「말해야 해」는
무슨 소리니?
톡
!
응접용
흐~음.
아리스와 친구들에겐 비밀이라….

말 안 해도 괜찮지 않아?
…….
어.
하지만 그 둘은 소중한 친구인데….
어머
『친구』라고 전부 말해야만 하는 거니?
…『사랑』은 말이지
서로가 행복해야만 성립한단다.

그렇게 괴로워하면서도 이야기해야 한다니… 그런 의무는 없어.
우리들 악마는 더욱, 더욱
자유롭고 섹시해야 해♥
아니면 역시 비밀이 있으면
너희는 친구 사이가 아니게 되는 건가…?

덜컹…
이루마 님.
어서 오십….
샤랄라~
끄아아아아아??!
그 옷은?!
어머님!!
어째서 여기에,
아니
이루마 님!!!
이것 좀 봐
귀엽지~?
아리스의
옛날 옷을
입혀봤어~♥
하늘하늘~!!

휘—익
기다려♥
다른 옷도 가져올게♥
자, 잠깐만요,
어머님!!
리본맨
발이 빨라!!
죄송합니다, 이루마 님!!
말리고 오겠습니다!!
자, 잠깐만 기다려.
둘 다….
앉아 봐.
할 이야기가
있어!

우선 아즈!
네!
수확제 마지막 날… 우리 곁으로 뛰어와줬을 때
정말 안심됐어.
정말 멋졌어.
우리를 지켜줘서…… 고마워!

화
화, 황송 합니다!!
그리고 클라라!
『레전드 리프』를 피울 수 있었던 건 클라라 덕분이야!
무서운 일을 겪어서 힘들었을 텐데…
힘을 빌려줘서, 나를 믿어줘서
정말 고마워.
두 사람은 나에게 있어서 소중하고
같이 있고 싶은 존재야….
그러니까…
그러니까 말이야…

나…
너희 둘과 친구라서
정말 기뻐…!!

이게 지금…
둘에게
해주고 싶은
내 진심에서
우러난 말
언젠가 전부
말해주고 싶어.
아무
컴백~
야~
셋이서
웃으면서.

뚝…
하아.
보고… 드립니다.
바비루스 1학년 중… 원조 회귀의 경향이 있는 이는 여러 명….
하앗.
제142화 내막 공개
그중 에서도……
쿨럭.
하아
어브노멀 클래스의 학생들은… 꽤 소질이 있어 보입니다….

보고서
그래서?
파지직…
그 꼬락서니는 뭐지?
하아
허억
오쵸….

이야~
원하던 데이터도 모았네.
랄라
룰루
수확제는 참 즐거워~♡
의외로 쉽게 잠입했고~
오로바스 군의 기억을 살~짝 조작해뒀으니 증거도 없어~!
토 옥
하아~…. 진짜….

오늘도
나는 정말
2번
이었네.
『거짓된
1번의
버팀목이
된다』.
이 희열이야말로…
2번 신앙의
기쁨….
자아, 빨리
바알 님께
돌아가야지!
선물로
바칠
정보도
잔뜩!!
참 쉽네,
쉬워~♪

푸욱
쿨럭…
…어.
화살?
파직
파지직…

명중 했어요.
파지익...
파지직...
B지구 남쪽 이네요.
포착 했어요.
좋아.
추격 하도록.
...윽.

들켰어?!
말도 안 돼.
인식을 저해하는
최고위 은밀 마술이
나한테
걸려 있는데…!
톡
시치로의
부저
『허위령
(虛僞鈴)』
으로
포착하는데
이틀….
신임이
집중적으로
수색하는데
하루….
발견에는
시간이 걸렸지만…
드디어
꼬리를 잡았군.
바비루스는
오는 이
누구도
거부하지
않는다.
허나
무단으로
침입해 날뛴
어리석은
자는…
절대

멀쩡하게 돌려보내지 말도록.
…네!
…으으.
젠장!!!
바비루스의 개들이!!
용서 못 해…! 반드시 곱절로 갚아주겠어!!
젠장, 반드시!

작살,
으을.
시끄러워. 바닥이 더러워지니 피 뿌리지 마.
꾸욱…
죄송 합니다….
그런데
이루마에 관한 건?
네
여기에
그 녀석의 옷에 달아둔 마이크로 음성을 녹음해뒀어요.
아아
『트라우마』에 걸려 나락으로 떨어지는 그는 참 볼만했죠~.

절망에 빠진 얼굴이 꽤나….
꽤나?
덥석

뭐?
욱.
아미 키리요… 군.
이루마를 만났나? 오쵸.
네에….
뭘 했는데?
그야
임무예요…. 정보를 수집했죠.
찰칵 찰칵
그니까 『뭘』 했냐고 묻는다 아이가.
재미 삼아 건드리지 말그라.
그 애는… 내….

나는 인간

이니까.

…….
인간?
역시 그랬나.
설리번이 인간계에 불법으로 넘어간 직후에 나타난 어린아이…….
혹시나 했는데… 재미있는 짓을 벌이는군….

…
인간?
이루마가 인간….
이루마가 …….
어이.
바닥 더럽히지 말라고 했을 텐데?
또 옥

주룩…
어.
!!
우, 어, 우.
아…?

계속…
계속
생각했데이.
꾸욱
니는
절망하지
않는다고
말했지.
그럼
어떻게 해야
니를 절망에
빠뜨릴 수
있을지를….
저기…
이루마.
만약 내한테
잡아먹히는
그 순간
에도

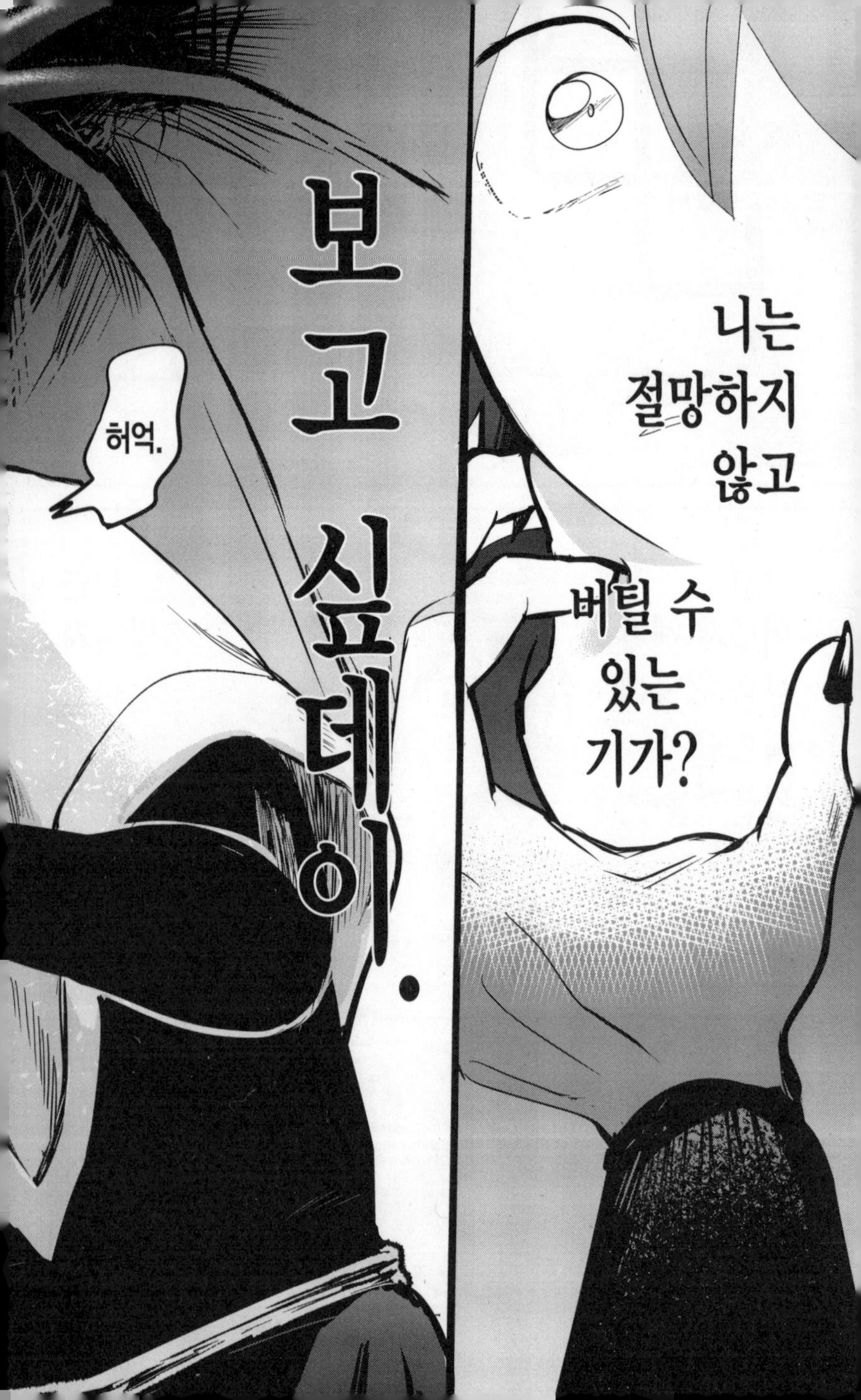
나는 절망하지 않고
버틸 수 있는 기가?
허억.
보고 싶데이.

너의 절망에 찬 표정을!
후욱.

이제부터
마계는
시끌벅적해질
거다….
뚜벅
우리가
시작하려는 건,
수확제 같은
소꿉놀이가
아니라……
약육강식,
피 끓고
가슴 뛰는
사냥
이다.

『악마에 입문했습니다! 이루마 군』 제⑯권/끝

읽어주셔서 정말 감사합니다.

THANK YOU FOR READING

모두의
감상을
기다리지.

〒102-8107 東京都千代田区飯田橋2-10-8
秋田書店 週刊少年チャンピオン編集部気付 西修先生宛

후기

벚꽃이 피어나는
16권!

142화까지가 수확제입니다!
12권부터 이번 권까지, 저조차도 앞으로 어떤 이야기가 펼쳐질지 모르는 상황에서 계속 그려온 수확제는 참 즐겁고 힘들었습니다. 고생한 학생들 모두에게 박수를 보내고 싶어요. 특히 어브노멀 클래스와 오로바스에게요. 이루마를 비롯해 많은 젊은 악마가 초심으로 돌아가서 새로운 힘을 손에 넣었습니다만, 마지막 그도 예외는 아닙니다. 이루마가 성장하면, 그도 호응하듯 성장하는 것 같습니다. 성가시군요. 그와 이루마가 재회하는 건 과연 언제일까요. 저도 기대됩니다. 자아, 축제가 끝나고, 한숨 돌린 다음 권부터는 아무 일도 없었다는 듯이 새로운 축제가 시작됩니다!
해피 음악제! 기대해주시길!!

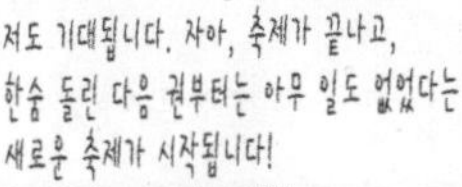
이루마, 리드
우승 축하해

믿음직한 동료들

스태프 THANKS

· 오사이 씨
· 히로카와 료 씨
· 아하바 아야 씨
· 하타케야마 카즈타카 씨
· 코토부키 나오키 씨
· 카와사키 츄 씨
· 마이카와 세미 씨
· 아루가 요시노리 씨

감사, 또 감사

두고 간 물건이 있다며 돌아왔지만 두고 간 게 없었던 사람

· 담당자 니시야마 씨

각 화의 보너스

이번 권의 에이코

와아아아
오열
이루마 씨, 우승해서 다행, 으흑, 축하해….
엄청 우네…
마지막 날까지 어엿하게 살아남았다.
생존 축하 리스트 에이코 666 포인트
꽤 하는걸…
엇

134화의 보너스

탈락 텐트로 이동 중인 아스모데우스
터벅
……
터벅
괜찮아?
울먹
크흑.
울먹
돌아가고 싶어. 모처럼 합류했는데…!!
헤어질 때는 엄청 멋졌는데….
털썩
흑
이루마 님…의 겨, 곁에….
묘안!
헉. 나는 이루마 님의 창이니까, 무기로서는 돌아가도 되지 않습니까?
안 돼.
그 후로도 계속 투덜댔다.

악마에 입문했습니다! 이루마군 VOL. 16

2024년 1월 25일 제1판 제1쇄 인쇄
2024년 1월 30일 제1판 제1쇄 발행

작가 | OSAMU NISHI
번역 | 이승원

발행인 | 오태엽
편집팀장 | 이수춘
편집담당 | 이혜리
표지 디자인 | Design Plus
라이츠사업팀 | 이은선, 조은지, 정선주, 신주은
출판영업팀 | 김정훈, 이강희
제작담당 | 박석주

발행처 | (주)서울미디어코믹스
등록일 | 2018년 3월 12일
등록번호 | 제 2018-000021
주소 | 서울특별시 용산구 한강대로 43길 5

인쇄처 | 코리아 피앤피

MAIRIMASHITA! IRUMA-KUN vol.16

「어른」과 「어린이」.
그 기묘한 관계성을 그린 이색 휴먼 드라마.
SANDA
산다
「트라우마 제로 교육」을 표방하는 완전 기숙사제 학교,
다이코쿠 애호 학원에서 1명의 소녀가 행방불명된다.
충분한 수사 없이 사망 처리된 것에 의문을 품은
후유무라 시오리는 어느 소년에게 수사 협력을 의뢰한다.
소년의 이름은 산다 카즈시게.
그가 감추고 있는 "어느 저주"의 힘을 믿고.
PARU ITAGAKI | 1~10권 발행 중 | 정가 6,000원 | 서울미디어코믹스
SANDA © PARU ITAGAKI 2021 (AKITASHOTEN JAPAN)
10
SANDA
이타가키 파루